les albums
duculot

Du même auteur :

— Ernest et Célestine ont perdu Siméon
— Ernest et Célestine, musiciens des rues
— Ernest et Célestine vont pique-niquer
— Ernest et Célestine chez le photographe
— Ernest et Célestine au musée
— Ernest et Célestine. La tante d'Amérique
— Noël chez Ernest et Célestine

— Pic-Nic et Rosalie
— Pic-Nic et Nicolas
— Pic-Nic vend ses poupées

— Ernest et Célestine — La tasse cassée
— Ernest et Célestine — Le patchwork
— Ernest et Célestine — Rataplan plan plan
— Ernest et Célestine — La grande peur

Conforme à la loi n° 49.956 du 16 juillet 1949
sur les publications destinées à la jeunesse.

© 1985, Éditions DUCULOT, Paris-Gembloux
D. 1985.0035.26
D.L. : juillet 1985
ISBN 2-8011-0559-7

Photogravure : Wespin, Bruxelles
Impression et reliure : Lesaffre, Tournai

Imprimé en Belgique

Gabrielle Vincent

Ernest et Célestine au musée

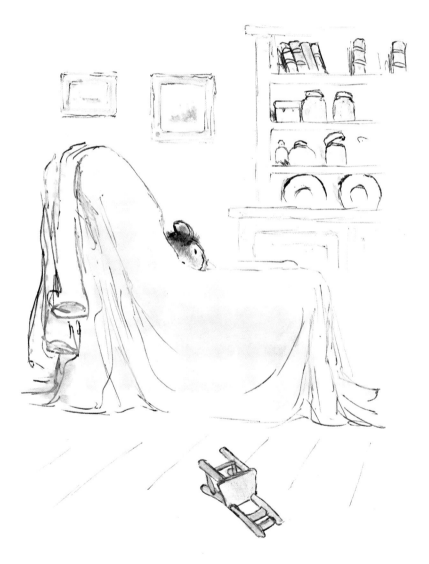

Duculot

— Je veux voir le grand bonhomme blanc !
— Tout à l'heure, Célestine... J'ai rendez-vous !
Je voudrais l'avoir cette place de gardien de musée !

— Si j'obtiens cette place, je pourrai garder la petite près de moi ?
— Oh ! non, Monsieur… demandez-le toujours au directeur, mais
ça m'étonnerait qu'il accepte.

— Non non non non ! C'est impossible,
voyons ! Mais puisque vous êtes là, visitez
notre exposition, je vous offre l'entrée !
— Merci beaucoup, Monsieur le Directeur.

— ... et ça, c'est L'infant Balthazar Carlos à cheval, par Velasquez.

— Pardon, Monsieur, est-ce un bon métier, gardien de musée ?
— Oui et non, Monsieur : on ne se fatigue pas mais on s'ennuie beaucoup !

— Ah ! j'ai compris, Célestine, écoute :
c'est une exposition de COPIES de tableaux
célèbres. Ce ne sont pas les VRAIS !
C'est pour ça qu'il n'y a presque personne.
Tu m'entends, Célestine ?

— Ernest, c'est presque fini ? On y va ?

— Ernest, tu viens, dis ? Ça va encore durer longtemps ?

— Tu vois, Célestine, c'est *L'Angelus* de Millet. Celui-là, je le connais, il est dans mon livre...

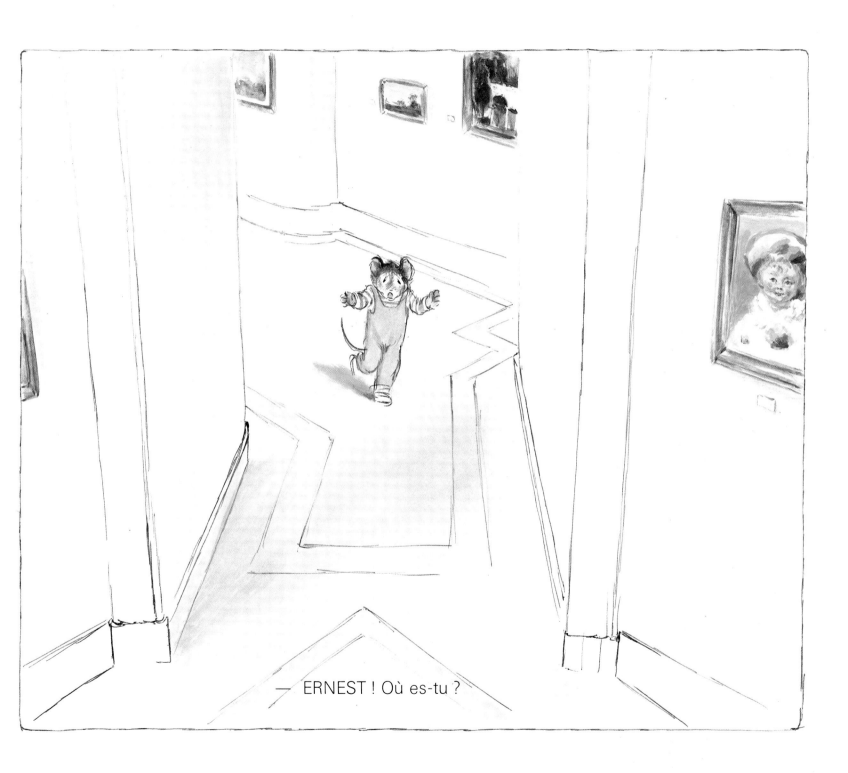

— ERNEST ! Où es-tu ?

— Plus moyen de retrouver Ernest !
— Ne t'en fais pas, personne encore ne s'est
  perdu dans ce musée ! Allez, cherche !

— Monsieur ! Monsieur ! MONSIEUR !... Mais il dort, lui !

— Monsieur ! Monsieur ! MONSIEUR !

— Qu'y a-t-il, ma petite fille ?
— J'ai perdu mon Ernest !
— En tout cas, il n'est pas ici.

— C'est toi, Ernest ?
— Non... Il vient encore de repasser en courant !
— Oh !

— Hé ! Monsieur, ne courez pas comme ça ! Votre petite est là...

— Si ça pouvait arriver plus souvent, la vie des gardiens de musée serait quand même plus amusante !

— Tu trouves ça drôle, toi, une course pareille. Elle a eu la frousse, tu sais !

— Tout est bien, qui finit bien !

— Viens, je suis là maintenant, Célestine !
On rentre à la maison !

— Tiens, regarde-le maintenant, celui-là !
— Écoute-moi, Ernest, j'ai vraiment eu peur,
tu sais !

— Que se passe-t-il encore Célestine ? Dis-le moi vite, parce que j'aimerais regarder mon livre d'histoire de l'art ce soir.

— Mais... mais, il y a... que je pourrais vraiment te perdre, Ernest ! Ne plus te retrouver... Tu pourrais partir loin, loin de moi... et je resterais sans toi...

— Me perdre ?!
— Oui, tu partirais en voyage sans moi, par exemple pour travailler...
  Je ne sais pas moi !

— En voyage, moi ? Sans toi ?!
— Mais non, hein, Ernest ? Que je suis bête ! Qu'est-ce que tu ferais sans moi, dis ?